Margot
l'escargot

Barnabé
le scarabée

Huguette
la guêpe

Mireille
l'abeille

César
le lézard

Luce
la puce

Léonard
le têtard

Merlin
le merle

Oscar
le cafard

Lorette
la pâquerette

Luna
la petite ourse

Camille
la chenille

Solange
la mésange

Cyprien
le chien

Adrien
le lapin

Loulou
le pou

Prosper
le hamster

Grace
la limace

Ursule
la libellule

Gabriel le
lutin de Noël

Benjamin
Père Noël
du jardin

Georges le
rouge-gorge

Lulu
la tortue

théo
le mulot

Gallimard Jeunesse/Giboulées
Sous la direction de Colline Faure-Poirée
et Hélène Quinquin
Direction artistique : Syndo Tidori

© Gallimard Jeunesse 2014
© Gallimard Jeunesse 2016 pour la nouvelle édition
ISBN : 978-2-07-507444-5
Premier dépôt légal : octobre 2014
Dépôt légal : octobre 2016
Numéro d'édition : 306206
Loi n° 49956 du 16 juillet 1949 sur
les publications destinées à la jeunesse
Imprimé en France par Pollina - L77117A

Les drôles de petites bêtes

Bob le bonhomme de neige

Antoon Krings

Gallimard Jeunesse Giboulées

Bob le bonhomme de neige a perdu sa bonne humeur des premiers jours. Tout seul au milieu du jardin, il s'impatiente, tape du pied avec son balai : « Mais que font les enfants ? Ils attendent le dégel ou quoi ? Ils m'avaient promis un cadeau pour Noël, un tour en trottineige. Peut-être ont-ils oublié, peut-être ont-ils attrapé froid. Ppfff ! Comme si on pouvait attraper froid ! En tout cas, moi, je suis fatigué de les attendre : je m'en vais ! »

Pas facile de marcher quand on est un bonhomme de neige, mais bon : Bob est déterminé et il a son idée sur sa façon d'avancer. Il rassemble toutes ses forces et… hop ! À la une, à la deux, à la trois : roulade ! À la une, à la deux, à la trois : roulade ! À la une, à la deux, à la trois : glissade !

Une dernière culbute et le voilà dans le jardin d'à côté, un peu sonné mais entier.
« Tous ces roulés-boulés m'ont fait tourner la tête, se dit-il en rajustant son chapeau. Mais c'est beaucoup plus drôle que de rester là-bas à ne rien faire ! Tiens, et si je faisais une belle boule de neige… »

Aussitôt il se met à la façonner.

«Et maintenant qu'elle est terminée, se dit-il, sur qui vais-je bien pouvoir l'envoyer?»

C'est alors qu'il aperçoit un gros bonhomme sur le pas de sa porte.

– Tiens, attrape ça! s'écrie Bob en riant.

– Raté! répond le gros bonhomme en riant à son tour.

– Tiens, attrape plutôt celle-ci!

– Encore raté!

– Prends celle-là!

– Hourra! En plein dans le mille!

– Au fait, comment t'appelles-tu ? demande
le gros bonhomme.
– Bob, et je viens du jardin d'à côté.
– Moi, tout le monde m'appelle Nico parce
que j'adore la glace Nico et que je suis
une crème : une crème glacée bien sûr !
– Ah, ce que tu peux être rigolo, et si… coloré !
– C'est vrai, j'ai pris des couleurs, mais tu sais,
au début, j'étais un bonhomme comme tous
les autres.

– Alors, que s'est-il passé ? demande Bob.
– C'est simple, après l'hiver, le temps s'est radouci. Il faisait si beau que je me suis mis à manger des glaces. Plus il faisait chaud, plus j'en mangeais, et plus j'en mangeais, plus je m'arrondissais et plus je prenais des couleurs ! C'est pourquoi je dis toujours : pour rester en bonne santé, hiver comme été, mangez des glaces, en sorbet ou au lait, en cornet et en bâtonnet, mangez des glaces !

– Je voudrais bien une glace crémeuse et parfumée, dit Bob en frottant son petit ventre.

– Rien que d'y penser, ça me met l'eau à la bouche, soupira Nico. Mais au fait il y a la bûche glacée que j'ai préparée pour Noël !

– J'aimerais bien y goûter… dit Bob.

– Qu'à cela ne tienne, mon ami ! Entre et mettons-nous à table : c'est Noël !

La bûche est si joliment décorée
que Bob n'ose pas y toucher.
– N'attends pas : mange pendant
que c'est froid ! lui dit Nico.
Bob se décide enfin à goûter :
– Hum ! Que c'est bon ! C'est
vraiment dé-li-cieux !

À la fin du repas, il est tout revigoré :

– Et si on faisait des glissades dans le jardin ?

– Ah non ! lui dit Nico. On a mieux à faire !

– Ah bon ? Et que peut-on faire de mieux ?

– Tu vas peut-être penser que je suis complètement givré, mais j'ai bien envie d'aller aux sports d'hiver.

– Aux sports d'hiver ! s'écrie Bob. Mais c'est impossible ! Il faut prendre le train, grimper jusqu'en haut de la montagne !

– Pas si l'on trouve un nuage qui
veuille bien nous déposer au sommet.
– Un nuage! Et puis quoi encore?
– N'oublie pas qu'à Noël tout est possible,
si on se donne la peine d'y croire. Tiens,
regarde! Qu'est-ce que je te disais! Il y en
a un qui vient juste de se poser devant
la maison.

La magie de Noël ayant opéré, Bob et Nico
se retrouvent bientôt en haut de la montagne.
Et ils ne sont pas seuls : d'autres bonshommes
les ont rejoints au pied du sapin, décoré pour
l'occasion de belles boules de neige.

– Joyeux Noël, Bob !
– Joyeux Noël, Nico !

Marie
la fourmi

Louis
le papillon
de nuit

Frédéric
le moustique

Antonin
le poussin

Juliette
la rainette

Odilon
le grillon

Pascal
la cigale

Valérie la
chauve-souris

Benjamin
le lutin

Patouch
la mouche

Adèle
la sauterelle

Siméon
le papillon

Henri
le canari

Léon
le bourdon

Noémie
princesse
fourmi

Gaston
le caneton

Victor
le castor

Pierrot
le moineau

Édouard
le loir

Pat
le mille-pattes

Belle
la coccinelle

Bob le
bonhomme
de neige

Blaise
et thérèse
les punaises

Maud
la taupe